Juan Ped

C000131181

EL FANT
MACHU PICCHU

Machu Picchu es la más famosa ciudad inca y se encuentra en la cima de una montaña a 2.430 metros de altura. Permaneció oculta por mucho tiempo: sus viviendas, calles y magníficos muros quedaron casi intactos gracias a la vegetación que todo lo escondía. Los conquistadores españoles jamás la pudieron encontrar y por eso se dice que Machu Picchu siempre será una ciudad inca. Fue declarada Patrimonio Mundial de la Humanidad por la Unesco en 1983 y proclamada como una de las maravillas del mundo moderno el 7 de julio del 2007.

EJERCICIOS Y NOTAS ROSANA MONDINO

ASESORAMIENTO ANGELA MARTÍ
DIBUJOS MAHUS WORTLEBERRY
EDITING SILVIA PROSÉR

LECTURAS PARA EMPEZAR

TODAS TUS HISTORIAS FAVORITAS EN UN PEQUEÑO LIBRO.
SON TODAS FÁCILES DE LEER Y TAMBIÉN MUY DIVERTIDAS.

La Spiga languages

La noche sobre la Cordillera de los Andes parecía aún más oscura debido a las intensas lluvias.

La brújula[1], alterada por la tormenta[2], ya no era fiable desde hacía mucho tiempo.

1. *la brújula*

Corría el año 1939 y Fabien Rivière, el piloto del monoplano Aeropostal* francés con la correspondencia[3] para los países andinos, sentía

2. *la tormenta*

los ojos cansados por tener que escudriñar[4] esa montaña negra que se detallaba en el horizonte.

3. *la correspondencia*

4. *escudriñar*

EJERCICIO

✎ **¿Te gusta viajar? ¿Ya sabes dónde irás el próximo verano? Cuéntanos que harás.**

_____

_____

_____

_____

_____

_____

* *En 1930, la **compañía aérea francesa Aéropostale** poseía una flota de 200 aviones y 17 hidroaviones, y emplea a 1.500 personas de las cuales 51 son pilotos. Los aviones eran muy especiales porque para la travesía de los Andes debían tener cualidades particulares: debían volar a 6-7.000 metros de altura para pasar por arriba de las nubes que cubren a menudo la Cordillera de los Andes; además los motores debían soportar un frío intenso de hasta -50°C.*

Pero en 1931, la compañía fue puesta en liquidación, en gran parte debido a la depresión económica después de la crisis de la bolsa de Nueva York en 1929, pero también debido a que la política económica de Francia negó su apoyo al servicio de correo de Aéropostale.

*En 1933, el gobierno francés impuso el reagrupamiento de las compañías de aviación y así las cuatro compañías francesas más importantes se fusionaron tomando el nombre de **Air France**, que compraría las posesiones de la célebre compañía Aéropostale.*

1. *el correo*

Tenía que continuar su viaje: era necesario continuar el servicio postal y repartir el correo[1] que provenía de Arica.

Había salido por la noche en un servicio nocturno, pero al contrario de otros vuelos, esta vez lo hacía sin la radio-transmisora que generalmente acompañaba a los pilotos[2].

Faltaban hombres[3] que fueran capaces de pilotar aquellos pequeños aviones postales porque la misión a cumplir, si se querían seguir las reglas de los

2. *el piloto*

inicios de la aviación en aquel entonces, hacía que la vida del piloto fuera peligrosa.

3. *el hombre*

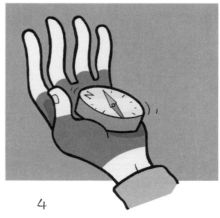

EJERCICIO

 Escribe los textos con la información de las fichas. Utiliza los verbos del recuadro.

> llamarse • vivir • ser • tener • trabajar • hablar

- NOMBRE: Fabien
- APELLIDOS: Rivière
- EDAD: 32 años
- NACIONALIDAD: francés
- PROFESIÓN: piloto
- CIUDAD: París
- IDIOMAS: español y francés

- NOMBRE: Pedro
- APELLIDOS: Martínez
- EDAD: 50 años
- NACIONALIDAD: peruano
- PROFESIÓN: médico
- CIUDAD: Cuzco
- IDIOMAS: francés, español y quechua

- NOMBRE: Paola
- APELLIDOS: Seri
- EDAD: 25 años
- NACIONALIDAD: italiana
- PROFESIÓN: pianista
- CIUDAD: Roma
- IDIOMAS: francés, italiano y español

1. *la gasolina*

2. *el depósito*

Hacía ya mucho tiempo que en Juliaca le esperaban para reponer gasolina[1], pero la tormenta que lo sorprendió no le permitió hacer esa etapa y, en verdad, no sabía exactamente la cantidad de carburante que efectivamente le quedaba en el depósito[2], ni dónde estaba.

EJERCICIO

✎ **Relaciona los dibujos con los oficios y las profesiones.**

FONTANERO

CARPINTERO

ARQUITECTO

MECÁNICO

MÉDICO

ENFERMERA

ALBAÑIL

ELECTRICISTA

Poco a poco iba perdiendo altitud y los grandes picos[1] de los Andes aparecieron majestuosamente delante suyo. Tiró entonces bien fuerte de la manivela[2] del aeroplano para hacer levantar el avión antes de que tocara la roca. Pero sabía bien que quedaría pronto sin combustible y era necesario encontrar un terreno en donde aterrizar[3].

1. *el pico*

2. *la manivela*

3. *aterizzar*

EJERCICIO

✎ **Elige la forma adecuada para cada frase.**

1. Juan es **sevillano / sevillana** y es **profesor / profesora**.

2. Daniel y María **come / comen** en el colegio.

3. **Tengo / Tenéis** 19 años y mi hermano **tiene / tienes** 12 años.

4. Me llamo Ángel. Soy **cubano / cubana** y **trabajo / trabajas** en un hospital.

5. Fabien es **francés / francesa**.

6. ¿De dónde **es / sois** vosotros?

7. Nosotros **vivimos / viven** en Perú y **somos / son** enfermeros.

8. Yo **vivo / vives** en Cuzco y mis padres **vives / viven** en Lima.

9. ¿A qué hora **comemos / comen** los franceses?

10. ¿A qué se **dedica / dedican** Fabien?

Un relámpago[1] más fuerte que los demás puso su avión contra el flanco de la montaña, y fue entonces cuando vio una planicie[2] lo suficientemente espaciosa como para aterrizar.

Más adelante encontraría la forma de entregar el correo…

Hizo una vuelta completa y puso su avión en línea con la pequeña pista en donde pensaba aterrizar.

La lluvia había terminado y fue más fácil encontrar el terreno. Empujó sobre la manivela y el pequeño avión empezó a descender rápidamente sobre esa pista minúscula que la montaña había moldeado. Su buena estrella le hizo depositar suavemente el avión sobre el terreno.

1. *el relámpago*

2. *la planicie*

✎ **Forma palabras relacionadas con los saludos y los tratamientos.**

US	AS	HAS	US
SE	TE	TA	HO
DES	ÑO	TED	LUE
GO	LA	ÑOR	RA
SE	NO	DÍ	CHES

_____   _____

_____   _____

_____   _____

_____   _____

▸ Claves en página 62

11

Ni bien se apoyaron a tierra, las ruedas empezaron a rodar… Pero en eso se escuchó un estruendo[1] atroz acompañado por el ruido[2] de las hojas secas aplastadas: la rueda derecha se deshizo completamente chocando contra una roca escondida por las sombras. La máquina de acero[3], lona[4] y madera[5] se destrozó estrellándose contra la montaña. El piloto no perdió la conciencia y comprendió el desastre inmediatamente: su avión estaba completamente destruido y él se encontraba solo, sin saber dónde estaba, con sólo un poco de agua y sin víveres[6].

1. *el estruendo* =
2. *el ruido*

3. *el acero*

4. *la lona*

5. *la madera*

6. *los víveres*

✎ **Contesta en tu cuaderno a las preguntas.**

1. ¿Adónde llegan los aviones?

2. ¿Adónde llegan los autobuses interurbanos?

3. ¿Adónde llegan los trenes?

4. ¿Adónde vais tú y tus amigos para bailar?

5. ¿Adónde vas para almorzar?

6. ¿Adónde va usted para aprender español?

7. ¿Adónde vas por la tarde?

8. ¿Adónde van ustedes para ver obras de arte?

9. ¿Adónde vais para hacer ejercicio?

10. ¿Adónde pueden ir los turistas en Machu Picchu?

El correo no había podido continuar su servicio esta vez…

1. *el sendero*

Fabien se puso al abrigo bajo el ala del avión mientras esperaba el final de la tormenta. Sabía que era necesario moverse y, tan pronto como el tiempo se calmó, empezó a caminar hacia el norte, con la bolsa del correo al hombro, mientras se decía a sí mismo que antes o después encontraría un pueblo si seguía ese sendero[1]. El día amaneció con toda la majestuosidad típica de la Cordillera y Fabien vio a lo lejos una forma de un color fuerte que se distinguía del tono uniforme de la roca de la montaña.

14

EJERCICIOS

✎ **Describe Machu Picchu. Convence a otras personas para que lo visiten.**

_____

_____

_____

_____

_____

_____

_____

_____

✎ **En tu cuaderno, transforma utilizando un adjetivo posesivo.**

Luisa tiene una cocina muy grande.
Su cocina es muy grande.

1. El niño tiene una bicicleta nueva.
2. Yo tengo un apartamento muy bonito.
3. Tú tienes libros interesantes.
4. Usted tiene un avión pequeño.
5. María tiene unos amigos muy simpáticos.
6. Ustedes tienen una casa preciosa.

1. *el poncho*

4. *el indígena*

2. *la maleta*

3. *la toca*

Un hombre vestido con un vistoso poncho[1] rojo y blanco estaba allí sentado sobre una piedra grande. El piloto se acercó, algo estupefacto viendo a este hombre tan solitario, en medio de un sendero sin ninguna maleta[2] y con una enorme cadena alrededor del cuello que parecía de oro. Su toca[3] era también muy extraña y también muy lujosa.

Le habló :

—¡Hola!, me llamo Fabien y estoy perdido.

—¡Hola! —dijo el desconocido.

—¿Su pueblo queda lejos? —preguntó el piloto.

—Dos o tres días de caminata. —contestó el indígena[4].

✎ **Aquí tienes algunos adjetivos que cambian de significado con SER o ESTAR. Completa las frases.**

1. He empezado a trabajar hace poco y ya sabe mucho, _____ despierto.

¿Qué te pasa? ¿Todavía no _____ despierto?

2. María _____ muy delicada, sufre del corazón.

Este asunto _____ muy delicado, tenemos que tener cuidado

3. Eso que has hecho _____ grave.

Estamos preocupados porque nuestro padre _____ grave.

4. Puedes _____ tranquilo, ese lugar es seguro.

Mi hermano _____ tranquilo, sin embargo yo soy nerviosísimo.

5. En cuanto llegue Fabien, la fiesta se animará, él _____ alegre.

No te sirvas más vino, ya _____ alegre.

—**P**ero, ¿qué hace usted por aquí? —preguntó el piloto.

Y luego, preocupado, se dijo para sí mismo: ¿Cómo es que este hombre no tiene un equipaje[1] o víveres consigo en un lugar tan perdido entre los montes?

El otro no respondió: su cara no tenía ninguna expresión, pero parecía estar pensando en algo… Fabien se preguntaba sobre

1. *el equipaje*

el desconocido: ¿quién podía ser? y ¿por qué llevaba esos vestidos tan extraños que nunca había visto antes? Pero había otras cosas que lo preocupaban más aún: ante todo el correo tenía que llegar lo antes posible a Juliaca.

EJERCICIOS

✎ **En esta sopa de letras localiza 8 palabras –** pueden estar en sentido horizontal o vertical.

J	E	E	G	Z	E	A	X	G	C	P
U	T	A	C	O	R	R	E	O	O	I
L	V	R	A	R	Q	A	T	T	R	L
I	Z	A	N	D	E	S	O	O	D	O
A	M	Z	C	S	T	L	A	R	I	T
C	I	U	D	A	D	T	O	X	L	O
A	T	R	R	A	R	Q	A	V	L	A
B	I	A	V	I	O	N	N	G	E	N
H	T	A	V	A	V	S	V	A	R	V
F	A	B	I	E	N	E	S	T	A	S

▶ **Claves en página 62**

_____   _____

_____   _____

_____   _____

_____   _____

✎ **Ahora, redacta UNA frase con las palabras que encontraste.**

_____

_____

_____

Temía también por su propia supervivencia en esas montañas hostiles, donde ni siquiera había nieve para hacer agua.

Pero la falta de equipaje y de víveres era lo que más le intrigaba del hombre con la toca dorada. Prefería no angustiarse con esos detalles que, en fondo, le parecían sin importancia inmediata, pero era un misterio para él el hecho de que este hombre estaba allí, a varios días de marcha de su casa y sin una bolsa, sin un paquete, sin comida[1].

1. *la comida*

EJERCICIO

🎧 **Escucha el CD y llena los espacios con el imperfecto de los verbos entre paréntesis.**

El imperio inca del Tahuantisuyo (estar) _____ dividido en cuatro provincias que (corresponder) _____ a los puntos cardinales.

El imperio (ser) _____ una sociedad con grandes diferencias entre sus clases sociales que (tener) _____ deberes y derechos desiguales. Su estructura social (formar) _____ una pirámide, con el inca o emperador en la cúspide y el pueblo en la base.

El inca (constituir) _____ la cabeza de la sociedad. Se (considerar) _____ de origen divino. (Vivir) _____ rodeado de una lujosa corte al lado de su esposa, la Colla, en un elegante palacio de la ciudad de Cuzco. Cuando (morir) _____ el inca, su hijo mayor (heredar) _____ el poder.

La actividad principal del pueblo (ser) _____ la agricultura. No (existir) _____ la propiedad privada. Todo (pertenecer) _____ a la comunidad o al inca.

El indígena lo miró fijo, adivinando sus ideas:

—Usted no se preocupe: le llevaré al pueblo. Todo irá bien.

Curiosamente, Fabien se sintió inmediatamente tranquilo, pero una idea le pasó por la cabeza[1], preocupándolo:

—Se acabó el agua. –dijo el piloto.

—¡Marchemos! –fue la única respuesta del hombre y comenzó a escalar la montaña. Fabien le siguió, con su bolsa del correo al hombro como único

1. *la cabeza*

equipaje, olvidando la sed, el cansancio y el hambre que empezaba a torturarle. Caminaron todo el día descansando cada tanto por pocos minutos.

✎ Completa este crucigrama dibujado.

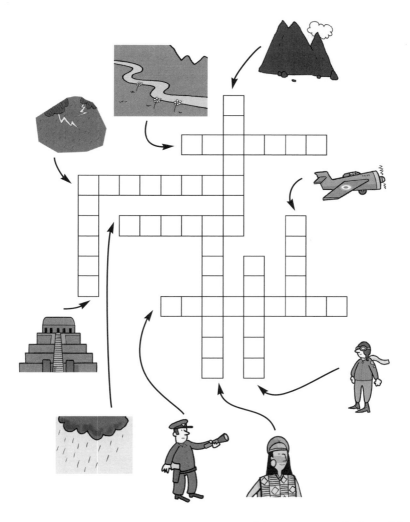

▶ Claves en página 62

1. la cueva

Fabien admiraba el físico atlético de su compañero y su resistencia porque nada parecía importarle: no se fatigaba nunca y sobre todo… ¡nunca tenía sed! Al anochecer, el hombre finalmente se detuvo.

—Vamos a acampar allí en esa cueva[1] subterránea. —y le indicó una mancha oscura entre las rocas.

Fabien entró y vio que la roca tenía un cierto brillo…¡ agua, finalmente!

Bebió ávidamente del hilillo de agua que brotaba de la pared rocosa y luego llenó su cantimplora[2]. Su guía, en cambio, no bebió.

2. la cantimplora

EJERCICIO

✎ **¿Sabes de qué deporte se trata?**
Relaciona el nombre de cada deporte con el dibujo que le corresponde.

ESQUÍ

CICLISMO

SURFING

YOGA

ALPINISMO

ESQUÍ ACUÁTICO

VELA

TENIS

BÉISBOL

BALONCESTO

FÚTBOL

GOLF

NATACIÓN

VÓLEIBOL

Fabien se sentó, intrigado y ya no pudo
contener su curiosidad:

—Pero… explíqueme: ¿quién es usted?

—Soy una especie de guardián, un vigilante.

—¿Un vigilante? —indagó el piloto.

—Así es. Hay un viejo templo en esta zona:
es un santuario y yo vengo a veces a ver si
alguien pasó por aquí para robar los objetos o
las piedras del monumento.

—¿Qué templo es ese? Soy extranjero y no
conozco esta región. Quizás es por eso que
me he perdido… —dijo el piloto.

EJERCICIO

 Asocia cada pais con lo que te indicamos.

> Argentina • Brasil • Méjico •
> Estados Unidos • Inglaterra • España •
> Francia • Italia • Japón • Australia • Perú

- Los espagueti   _____

- La paella   _____

- El café   _____

- El fútbol   _____

- Los mariachi   _____

- El Big Ben   _____

- El Machu Picchu   _____

- El samurai   _____

- El canguro   _____

- La Torre Eiffel   _____

- El hot dog   _____

27

—**E**s el templo de Machu Picchu, cerca de Cuzco, la capital de los antiguos incas*.
—respondió el hombre.

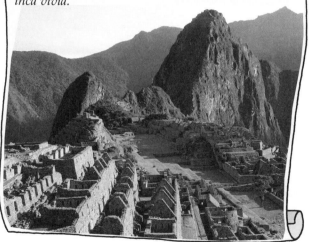

* Los incas gobernaron el imperio más extendido del continente americano.
El término **inca** era extensible a los gobernantes y a los emperadores.
Este imperio tenía un gobierno altamente organizado y la capital era **Cuzco** (o Cusco), donde el emperador-inca vivía.

✎ **Describe los personajes principales.**

_____

_____

_____

_____

_____

_____

_____

_____

_____

_____

_____

_____

_____

_____

_____

_____

_____

_____

_____

_____

_____

—¿**E**stamos tan cerca de Machu Picchu? ¡No pensé estar tan fuera de ruta! —exclamó Fabien.

—El Cóndor cayó, debo ayudarle en el Kay Pacha*. —dijo el hombre por toda respuesta.

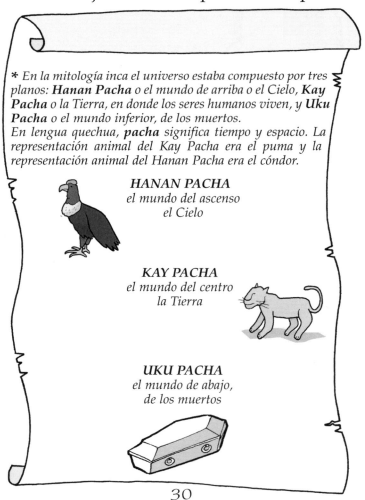

*En la mitología inca el universo estaba compuesto por tres planos: **Hanan Pacha** o el mundo de arriba o el Cielo, **Kay Pacha** o la Tierra, en donde los seres humanos viven, y **Uku Pacha** o el mundo inferior, de los muertos.
En lengua quechua, **pacha** significa tiempo y espacio. La representación animal del Kay Pacha era el puma y la representación animal del Hanan Pacha era el cóndor.

HANAN PACHA
el mundo del ascenso
el Cielo

KAY PACHA
el mundo del centro
la Tierra

UKU PACHA
el mundo de abajo,
de los muertos

EJERCICIO

✎ **En esta sopa de letras encontrarás algunos instrumentos que sirven para viajar. Relaciónalos con los dibujos.**

B	R	U	J	U	L	A	N	S	E
H	A	S	G	Z	S	T	V	E	C
M	D	D	I	M	G	A	S	X	L
L	I	T	E	A	A	H	H	T	C
S	O	A	C	P	T	U	A	A	Q
A	N	H	C	A	O	A	D	N	A
U	T	U	R	A	R	L	A	T	S
B	I	A	X	D	X	P	N	E	E
H	T	A	V	A	V	A	V	A	C
T	E	L	E	S	C	O	P	I	O

Telescopio   Brujula   Sextante   Radio   Mapa

▶ **Claves en página 62**

—¿**Q**ué cóndor? ¿Qué es el Kay Pacha?
—preguntó el piloto.
—El Cóndor proviene del Hanan Pacha,
el mundo de arriba.
El Kay Pacha pertenece en cambio al mundo
de aquí o sea donde nosotros estamos
actualmente. El Cóndor cayó al Kay Pacha
y yo debo ayudarle para que los mundos se
pongan en equilibrio.
—Es mi avión lo que cayó, ¡no un cóndor!
—dijo Fabien.
—Mi deber es ayudar… ¿usted ha caído del
cielo sí o no? —siguió el hombre.
—Aprecio que usted me ayude, —dijo el
piloto— pero me gustaría comprender algo
más.

Relaciona cada imagen con el nombre de cada prenda de vestir.

LA CAMISETA

LOS VAQUEROS

LOS ZAPATOS

EL VESTIDO

EL PONCHO

LOS ZAPATOS DE TACÓN ALTO

EL TRAJE

LA CAMISA

LA CORBATA

EL CHALECO

LOS PANTALONES CORTOS

LOS CALCETINES

LAS BOTAS

EL BIQUINI

EL ABRIGO

LOS PANTALONES

LA BLUSA

LA FALDA

EL PIJAMA

LA TOCA

33

—**U**sted lo comprenderá en el momento oportuno: es que es una vieja historia...
—continuó el hombre.
—Estoy muy cansado

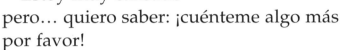

pero... quiero saber: ¡cuénteme algo más por favor!
—Voy a tratar de explicarle: hace varios siglos[1] vivía aquí una civilización muy avanzada y muy rica también: el imperio inca. Tan

opulenta era que, cuando llegaron unos nuevos visitantes, todo lo que querían era llevarse el oro y la plata[2] que adornaban sus templos y a sus habitantes.
—Los hombres se vuelven locos por esos metales... —reflexionó un poco para sí el indígena.

✎ **Completa con los verbos SER o ESTAR.**

Fabien está cansado, _____ las diez y media y _____ aún durmiendo.

La clase de español _____ en el laboratorio de lenguas que _____ cerca de la cafetería.

Mi amigo _____ profesor. Ahora _____ en la biblioteca.

Maribel y Pepe _____ nerviosos porque el examen de biología _____ hoy y no _____ preparados.

Yo _____ preocupada; estos niños _____ muy jóvenes para _____ solos en casa.

Y siguió la narración: —Los visitantes aprovecharon un malentendido que había entre las distintas familias de los antiguos para atacar las ciudades e invadir el país. Fue así como apresaron al emperador inca. Fabien, se moría de cansancio y se le cerraban los ojos por el sueño, pero la curiosidad era más fuerte y preguntó:

—¿Y qué hicieron con él?

—Pidieron a la población inca cuatro toneladas de oro y cuatro de plata para liberarle. El emperador, desde su celda[1], ordenó que se recogiera toda esa fortuna entre los incas para poder ser liberado.

> 1. *la celda*

¿Cuál es el lugar adecuado para las actividades siguientes?

- *Un almuerzo de negocios*   ***el restaurante***

- El trabajo de una enfermera   _____

- La lectura   _____

- La protección contra el crimen   _____

- Una ceremonia religiosa   _____

- La proyección de películas   _____

- Un partido de fútbol   _____

- La exposición de obras de arte   _____

- Bailar   _____

- Nadar   _____

- Comprar fruta y verdura   _____

- Comprar pan   _____

- Comprar libros   _____

- Comprar medicinas   _____

Todos los pueblos y todas las familias aportaron y ese enorme tesoro fue entregado a los ambiciosos visitantes.

—¿Lo liberaron entonces al emperador inca? —preguntó intrigado Fabien.

—No, los extranjeros no mantuvieron su palabra porque pensaron que un hombre que tenía tal poder podía ser peligroso si quedaba libre.

Se llevaron los tesoros y luego le condenaron a muerte. Pensaban condenarlo a la hoguera[1] pero al final eligieron ahorcarlo en la cárcel[2]. Dicen que su fantasma merodea todavía por las tierras del imperio a causa de esa traición de la que fue objeto…

1. *la hoguera*

2. *la cárcel*

EJERCICIOS

🎧 Contesta en tu cuaderno a las preguntas que escucharás en el CD.

🎧 Busca en Internet un mapa de Perú: escucha las preguntas que te hacemos en el CD y contesta, ubicando en este dibujo Machu Picchu y las otras ciudades.

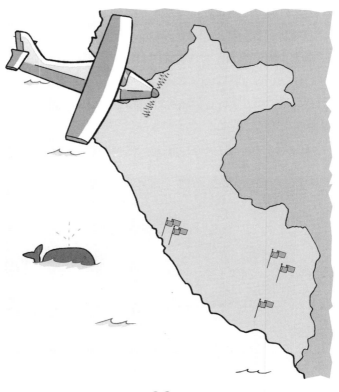

Pero dicen que el fantasma es feliz: muy poco tiempo después los extranjeros empezaron a pelearse entre ellos…

—¿Y los antiguos incas hicieron algo? —preguntó el piloto.

—Sin su emperador ya no eran nada: sus tierras pasaron a ser dominadas por los extranjeros.

—Estoy muerto de sueño, tengo que dormir ahora; —lo interrumpió Fabien— pero antes dígame… ¿cómo se llama usted?

—Llámeme Ata, mi nombre es demasiado complicado para usted. —dijo sonriente.

—Entonces ¡Buenas noches Ata! —saludó Fabien.

—¡Buenas noches, Cóndor! —respondió Ata.

✎ **Llena los espacios con POR o PARA según corresponda.**

1. La brújula, alterada _____ la tormenta ya no era fiable.
2. Hay que darse prisa porque está _____ empezar la transmisión.
3. Ata debe ayudar al Cóndor _____ que los mundos se pongan en equilibrio.
4. Me queda todavía mucho trabajo _____ hacer.
5. Le prohibieron ir al cine _____ una semana, _____ desobediente.
6. La rueda derecha se deshizo completamente chocando contra una roca escondida _____ las sombras.
7. Voy _____ el libro, creo que lo tengo _____ aquí.
8. Lo haré _____ el bien de todos.
9. Estamos muy preocupados _____ su salud.
10. Dijo _____ el interfono: —¡Que nadie me moleste, no estoy _____ nadie!
11. Pidieron a la población inca cuatro toneladas de oro y cuatro de plata _____ liberarle.

Cuando el piloto se despertó, sintió un sabor amargo en la boca…¡Fabien hubiera dado un imperio por un poco de azúcar o una galleta[1] para engañar el hambre!

1. *la galleta*

Se dirigió hacia el agua para llenar su estómago, para que ese líquido límpido le saciara un poco.

2. *la pesadilla*

Ata, que ya había salido y estaba sentado sobre una roca como lo había visto la primera vez, le preguntó:— ¿Ha dormido usted bien, Cóndor?

—Con dificultad, Ata… tuve algunas pesadillas[2]. —contestó Fabien.

—Debemos partir ahora, no estamos tan lejos de nuestra meta. —agregó Ata.

EJERCICIO

✎ **Visita un sitio web que hable de la ciudad de Cuzco en Perú** (http://es.wikipedia.org/wiki/Cusco) **y contesta a las preguntas.**

1. ¿En qué región de Perú está Cuzco?

   _____

   _____

2. ¿Es una ciudad importante para la cultura?

   _____

   _____

3. ¿Qué significado tiene el nombre "Cuzco"?

   _____

   _____

4. ¿Quiénes eran los fundadores de la ciudad?

   _____

   _____

5. ¿Qué otros lugares de interés hay muy cerca de Cuzco?

   _____

   _____

—¡**V**amos entonces! Este correo está ya llegando con bastante atraso! —dijo el piloto mostrándole su bolsa.

Empezaron a caminar pues, abandonando el resguardo nocturno provisorio para partir hacia la civilización. Subieron por senderos rocosos y descendieron por pistas de pedregullo. Los pies de Fabien se lastimaron y le hacían muchísimo daño: sus zapatos no eran apropiados para esa caminata y empezaron a descoserse, maltratados por los kilómetros hechos entre ásperas y cortantes rocas.

✎ **Contesta en tu cuaderno a las siguientes preguntas, utilizando frases completas.**

1. ¿Dónde está Machu Picchu?

2. ¿Dónde está tu casa?

3. ¿Dónde está la Torre Eiffel?

4. ¿Dónde está el Coliseo?

5. ¿Dónde estás tú ahora?

6. ¿Dónde están tus padres?

7. ¿De dónde es Antonio Banderas?

8. ¿De dónde son los Beatles?

9. ¿De dónde es Eros Ramazzotti?

10. ¿De dónde son Mafalda y sus amigos?

11. ¿Y tú, de dónde eres?

Llevaba consigo el pesado abrigo de cuero de piloto: no había querido abandonarlo porque le había resultado muy útil para protegerlo del clima frío durante toda la noche. Ata, en cambio, parecía no sufrir y su silueta formidable avanzaba suavemente por la montaña, esa montaña que no terminaba nunca…

Fabien estaba cansado, caminaban desde hacía muchas horas… No aguantaba más, su cuerpo no soportaba más trecho…

EJERCICIO

 **Aquí tienes una lista de las actividades de Fabien del día de ayer. Di si tú hiciste o no las mismas cosas.**

Ayer por la mañana Fabien viajó a Lima.
Yo también viajé a Lima. / Yo no viajé a Lima.

1. Fabien habló por teléfono con su mejor amigo ayer por la mañana.

   _____

2. Anoche Fabien cantó con sus amigos.

   _____

3. Fabien bailó toda la noche en la discoteca con su novia.

   _____

4. Ayer Fabien desayunó con su familia ayer.

   _____

5. En el desayuno, Fabien tomó café con leche.

   _____

6. Anoche Fabien celebró su cumpleaños con sus amigos pilotos.

   _____

7. Después de la fiesta Fabien terminó muy cansado.

   _____

1. la cumbre

Habían llegado a la cumbre¹ por un sendero áspero y
el valle se extendía a sus pies… las luces de las casas del pueblo que se divisaba allá abajo estaban ya encendidas… era ya noche y Fabien volvía finalmente a la civilización…

Descendieron.

Algunos hombres venían hacia ellos… Fabien se desvaneció por el cansancio y la felicidad.

2. la pared

Cuando finalmente volvió en sí y abrió los ojos, una luz blanca lo cegó. Poco a poco pudo descubrir
las paredes² del cuarto³, una habitación⁴ muy clara y espaciosa.

3. el cuarto =
4. la habitación

EJERCICIO

✎ **Lee las siguientes oraciones: escribe las fechas en letra y cambia los verbos al pretérito indefinido.**

1. En 1492 Colón llega a América.

   _____

2. En 1521 Hernán Cortés conquista México.

   _____

3. En 1552 Magallanes circunnavega la tierra por primera vez.

   _____

4. En 1605 Cervantes publica la Primera Parte del *Don Quijote*.

   _____

1. *la blusa*

Una mujer vestida con una hermosa blusa[1] blanca y falda muy colorida se acercó a él sonriente.
El médico del pueblo, también vestido de blanco con un chaleco[2] de colores, se acercó a él diciéndole:

2. *el chaleco*

—Señor Rivière, ¿cómo se siente?

—Un poco cansado y algo aturdido, ¿dónde estoy? —preguntó Fabien.

—Al seguro ahora, ¡usted tuvo suerte! —le dijo la mujer— Lo hemos encontrado exhausto, al límite del delirio al borde[3] del sendero que lleva a la montaña.

3. *el borde*

—Y mi compañero, ¿dónde está? —quiso saber el piloto.

—¿Qué compañero? —dijo el médico, alarmado.

EJERCICIO

✎ **Conjuga el verbo entre paréntesis en las siguientes frases.**

1. Cuando el avión (aterrizar) _____ en Lima (brillar) _____ un sol espléndido y la temperatura (ser) _____ de 22º.
2. Yo no (saber) _____ que la capital del Perú (estar) _____ situada a orillas del Océano Pacífico.
3. Durante los días que (pasar) _____ allí (visitar) _____ la magnífica Catedral en la Plaza Mayor, el museo y otros lugares interesantes.
4. Lo que más me (gustar) _____ (ser) _____ sus hermosos parques, fuentes ornamentales y arboladas avenidas.

—**E**l hombre que estaba conmigo, y que me salvó conduciéndome hasta aquí. Se llama Ata. —contestó Fabien.

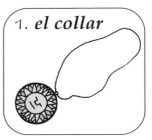

1. *el collar*

—No venía nadie con usted, los campesinos le vieron bajar la montaña solo… —fue la respuesta de la mujer.

—Pero no es posible, él tenía una toca dorada, es imposible que haya pasado desapercibido… —dijo Fabien.

—¿Una toca dorada? ¿Y tenía también un collar[1] de oro y un poncho de colores? —indagó la mujer.

—Sí, ¡eso es! : ése es Ata… ¿lo conoce? —preguntó el piloto.

✎ **Escribe debajo de cada dibujo lo que estos personajes están haciendo.**

_____   _____
_____   _____
_____   _____

_____   _____
_____   _____
_____   _____

El médico se sentó sobre la cama[1] de Fabien :

1. *la cama*

—¡Oh sí que lo conozco! O más bien sé de quién se trata… Pero debe usted saber que Atahualpa*, el último emperador inca, fue ejecutado por los conquistadores en 1533… y desde entonces… ¡visita toda la región de Machu Picchu!

* ***Atahualpa** fue el decimotercer gobernante inca y es considerado como el último emperador inca. Fue hecho prisionero por Francisco Pizarro y acusado de traición y de conspiración contra la corona española. Para su rescate fue obligado a pagar dos aposentos llenos de plata y de oro, pero aunque cumplió con su oferta, fue ejecutado de todas formas. Escogió ser ahorcado después de ser bautizado como cristiano en lugar de ser quemado en la hoguera sin bautizarse.*

EJERCICIO

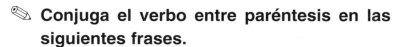

✎ **Conjuga el verbo entre paréntesis en las siguientes frases.**

1. Hoy (salir – él) _____ al campo.
2. Mañana lo (saber – nosotros) _____ .
3. Esta tarde (haber) _____ huelga.
4. Seguramente (llegar – yo) _____ tarde.
5. No sé si venir – ella) _____ a cenar.
6. La fiesta (ser) _____ mañana a las ocho.
7. (Haber, ahora) ¿_____ mucho tráfico?
8. Mañana (tener – tú) _____ invitados.
9. El lunes (empezar) _____ el curso.

—¿**C**ómo? ¿No entiendo! —dijo intrigado Fabien.

—Sí, ya otras personas lo han visto… Narra la leyenda[1] que el fantasma de Atahualpa espera un Cóndor sagrado, para ayudarle a atravesar las montañas y cumplir con su deber… —agregó la mujer.

1. *la leyenda*

EJERCICIO

✎ **Completa este diálogo en la aduana usando adjetivos y pronombres indefinidos.**

ADUANERO: ¿Tiene usted _____ que declarar?

VIAJERA: Sí, tengo _____ recuerdos del Perú.

ADUANERO: ¿Trae usted _____ objeto de plata?

VIAJERA: Sí, traigo _____ : unos pendientes, una pulsera y un collar.

ADUANERO: ¿Trae usted _____ cosa más?

VIAJERA: No, no traigo _____ más; eso es todo.

VIAJERA: ¿Puede usted recomendarme _____ pensión?

EMPLEADA: Lo siento, pero en esta ciudad no hay _____ . Pero hay _____ hoteles que no son _____ caros.

VIAJERA: ¿Hay _____ residencia para estudiantes?

EMPLEADA: Sí, hay _____ en las universidades. ¿Conoce usted a _____ en nuestra ciudad?

VIAJERA: No, no conozco a _____ .

Fabien trataba de aclararse las ideas mientras recordaba que Ata lo había llamado "Cóndor" y sonrió diciendo :

—¿Ayudar al Cóndor? Bueno, creo que lo ha hecho esta vez… —En eso la idea del "deber" le volvió a la mente atormentándolo…

—¿Y el correo? ¿Qué pasó con mi bolsa postal? —preguntó alarmado el piloto.

—¡Quédese tranquilo amigo! —lo calmó el médico— Un avión se marchó esta mañana con el correo, a esta hora ya debe de haber llegado a Juliaca.

Fabien agradeció a la familia del médico que le acogió en su casa y tan amablemente le atendió.

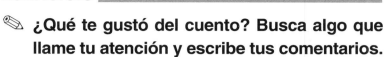

EJERCICIO

✎ **¿Qué te gustó del cuento? Busca algo que llame tu atención y escribe tus comentarios.**

1. Lo que me gusto del cuento:

   _____

   _____

2. Lo que me recordó este cuento:

   _____

   _____

3. Lugar de los hechos:

   _____

   _____

4. Personaje principal del cuento:

   _____

   _____

5. Otros personajes que me gustaron:

   _____

   _____

6. Una escena que me gustó:

   _____

   _____

7. Cómo terminó el cuento:

   _____

   _____

En pocos días se restableció y volvió a su servicio en el Aeropostal. Y en su corazón guardó un fuerte agradecimiento a su "amigo" Ata, vigilante del templo de Machu Picchu que lo salvó de una muerte segura.

🎧 Observa los dibujos: contesta en tu cuaderno a las preguntas que escucharás en el CD.

CLAVES

Pág. 11

hola • usted • hasta luego • señor
• señora • días • noches • ustedes

Pág. 19

J	E	E	G	Z	E	A	X	G	C	P
U	T	A	C	O	R	R	E	O	O	I
L	V	R	A	R	Q	A	T	T	R	L
I	Z	A	N	D	E	S	O	O	D	O
A	M	Z	C	S	T	L	A	R	I	T
C	I	U	D	A	D	T	O	X	L	O
A	T	R	R	A	R	Q	A	V	L	A
B	I	A	V	I	O	N	N	G	E	N
H	T	A	V	A	V	S	V	A	R	V
F	A	B	I	E	N	E	S	T	A	S

FABIEN es el PILOTO de un AVION
que atraviesa la CORDILLERA de los
ANDES para llevar el CORREO a la
CIUDAD de JULIACA.

Pág. 23

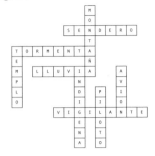

Pág. 31

B	R	U	J	U	L	A	N	S	E
H	A	S	G	Z	S	T	V	E	C
M	D	D	I	M	G	A	S	X	L
L	I	T	E	A	A	H	H	T	C
S	O	A	C	P	T	U	A	A	Q
A	N	H	C	A	O	A	D	N	A
U	T	U	R	A	R	L	A	T	S
B	I	A	X	D	X	P	N	E	E
H	T	A	V	A	V	A	V	A	C
T	E	L	E	S	C	O	P	I	O